See page 183 for instructions on how to download the book's MP3 audio files

LEARNAKAN
CONVERSATIONAL
TWI GUIDE

Stephen Awiba

LEARNAKAN ■BOOKS

Published by: LearnAkan Books
                     P.O. Box M248
                     Ministries, Accra
                     Ghana
                     learnakan@gmail.com

ISBN: 978-9988-2-9290-4

Layout, design
& typesetting: Stephen Awiba

Cover Illustration: Pixabay (Public Domain Image)

Websites: www.learnakan.com
                     www.mytwidictionary.com

PREFACE

Learners of Twi often ask:

- ➢ *how do I say this in Twi?*
- ➢ *how do I tell someone that in Twi?*
- ➢ *what is the meaning of this Twi statement?*
- ➢ *how do you respond to this in Twi?*

These are legitimate questions, as the primary aim of most language learners is to attain optimal communicative competence in the shortest possible time. It is for this reason that this rather exhaustive conversation guide has been put together.

LEARNAKAN CONVERSATIONAL TWI GUIDE is intended for use by beginner, intermediate and advanced Twi learners alike. It features phrases and sentences used in natural conversation settings. In all, the book is divided into seventy-eight (78) sections, with each section dealing with a different communicative situation.

ABOUT THE AUTHOR

STEPHEN AWIBA, known by his students as YAW, is the founding editor of LEARNAKAN.COM and MYTWIDICTIONARY.COM.

He was born and raised in Kumasi, the Ashanti regional capital of Ghana, where Akan (Asante Twi) is spoken as the first language. Besides being exposed to and acquiring Twi from birth, Yaw has had the privilege of studying Twi from the basic school level, through high school, and at the university.

He holds a bachelor's degree in Linguistics and Theatre Arts from the University of Ghana (UG) and an MPhil in English Linguistics and Language Acquisition from the Norwegian University of Science and Technology (NTNU).

ACKNOWLEDGEMENTS

I am most grateful to Ɔyɔɔ *(in loving memory)*, my Twi teacher from Senior High School, whose invaluable teachings and practical advice kindled my interest in the study and teaching of Twi. *Opanin, da yie!*

My appreciation also goes out to Mrs. Paulina Agyekum, the current headmistress of Adventist Girls' Senior High School *(formerly Adventist Secondary Technical School)* in Ntonso, Ashanti region. Taking over from Ɔyɔɔ as the Twi teacher, Mrs. Paulina Agyekum's belief in me encouraged me to delve even deeper into the workings of the Asante Twi dialect of the Akan language. *Me Sewaa, wo nkwa so!*

Finally, to family and friends who, in diverse ways, contributed to the successful completion of this piece of work, I cannot thank you enough.

Meda mo nyinaa ase!

TABLE OF CONTENTS

<u>GRAMMATICAL NOTATIONS</u>

Abbreviations

SF	short form
LF	long form
SQ	statement question
PRON	pronunciation
LIT	literal translation
BR	borrowed

Word classes

NOUN	noun
VERB	verb
GERUND	gerund
IDIOM	idiom

TALKING ABOUT YOURSELF I – ⏵ track 1

Me din de Kofi.
My name is Kofi.

Madi mfeɛ dunwɔtwe.
I am 18 years old.

Mefiri Nsuta.
I come from Nsuta.

Mete Nkran.
I live in Accra.

Mekɔ sukuu wɔ Opoku Ware Ntoasoɔ Sukuu.
I go to school/I school at Opoku Ware Secondary School.

Me papa din de Owura Kwadwo Wusu
My father's name is Mr. Kwadwo Wusu

Me maame din de Owurayere Akosua Wusu.
My mother's name is Mrs. Akosua Wusu.

Aduane a mepɛ pa ara ne ɛmo ne nyaadewa abomu.
The food I like best is rice and garden eggs stew.

Agorɔ a mepɛ pa ara ne bɔɔlobɔ.
The game I like best is football.

1

TALKING ABOUT YOURSELF II – ◉ track 2

Me din de Ɔsɛe Wusu.
My name is Osei Wusu.

Dodoɔ no ara frɛ me Kofi.
Many call me Kofi.

Wɔwoo me Ɔpɛpɔn da a ɛtɔ so nkron wɔ afe apem, aha nkron aduɔwɔtwe nson mu.
I was born on the ninth day of January in 1987.

Nti madi mfeɛ aduasa.
So I'm 30 years old.

Mefiri Tafo a ɛwɔ Asante mantam.
I come from Tafo (which is) in the Ashanti region.

Nanso mete Chicago.
But I live in Chicago.

Mekɔ sukuu wɔ Kwame Nkoroma Suapɔn a ɛwɔ Kumase no.
I go to school (I school) at the Kwame Nkrumah University (which is) in Kumasi.

Mekɔ sukuu wɔ 'Beacon International School'
I go to school (I school) at Beacon International School.

Megyina gyinapɛn nsia.
I am in class six.

Meyɛ adwuma wɔ Unilever Ghana.
I work at Unilever Ghana.

Meyɛ adwuma wɔ Ghana mmarahyɛ badwam.
I work at Ghana's parliament.

M'ani gye m'adwuma ho yie.
I like my job so much.

Menwareeɛ.
I am not married (I am single).

Maware.
I am married.

Meyɛ ɔbaa warefoɔ.
I am a married woman.

Meyɛ barima warefoɔ.
I am a married man.

M'anim te nti me nnamfonom nyinaa pɛ m'asɛm.
I am a cheerful person so all my friends like me.

Afei, meyɛ nipa bi a mede obuo ma nipa bibire biara.

Also, I am a kind of person who shows respect to every individual.

Me yere din de Ama.

My wife's name is Ama.

Ɔyɛ ɔbaa nimdefoɔ pa ara.

She is a very knowledgeable woman.

Na n'ahoɔfɛ deɛ, ɛsɛ w'ani na ɛnsɛ wo kakyerɛ.

As for her beauty, it deserves your seeing; you shouldn't be told.

Mewɔ anuanom du: mmarima nsia; mmaa nan.

I have ten siblings: six males; four females.

Me ne kaakyire.

I am the last-born (I am the youngest).

Me ne piesie.

I am the first-born (I am the eldest).

Me na metɔ so nsia.

I am the sixth-born.

M'ani gye sini ne nnwom ho pa ara.

I like movies and music very much.

Mepɛ sinihwɛ pa ara.
I like watching movies very much.

Mepɛ dwontie pa ara.
I like listening to music very much.

Agorɔ a m'ani gye ho pa ara ne akuturukubɔ.
The game I like best is boxing.

Aduane a m'ani gye ho pa ara ne fufuo ne nkrakra nkwan.
The food I like best is fufu and (with) light soup.

Adeɛ a mempɛ koraa ne atorɔ.
What I don't like at all are lies.

Sɛ wonka nokorɛ a, wontumi nyɛ m'adamfo.
If you don't tell the truth, you cannot be my friend.

Na yei ne kakra a mɛtumi aka afa me ho. Medaase!
And this is the little I can say about myself. Thank you!

TALKING ABOUT YOUR FAMILY – ⏺ track 3

Edin a ɛda m'abusua so ne Boafo.

The name of my family is 'Boafo' (My family name is 'Boafo').

Edin yi kyerɛ obi a ɔpere boa afoforɔ.

This name means (stands for) someone who is quick to help others.

Aane! Yɛyɛ aboafoɔ mmapa!

Yes! We are true helpers!

Abakɔsɛm kyerɛ sɛ, yɛn Nana barima na ɔde edin 'Boafo' yi too yɛn papa.

History has it that, it was our grandfather who gave this name 'Boafo' to our father.

Na yɛn papa nso hwɛ de din yi totoo yɛn nyinaa.

And our father also made sure to name all of us with this name.

Nnipa nson na wɔka bom yɛ yɛn abusua no.

Seven persons come together to form our family.

M'abusua yi nso biara saa: me papa, me maame, anuanom num, ne nananom bɛyɛ du.

My family is not that big in size: my father, my mother, five siblings and about ten grandchildren

6

Me papa din de Owura Kofi Boafo.
My father's name is Mr. Kofi Boafo.

Wadi mfeɛ aduɔwɔtwe mmienu.
He is eighty-two years of age.

Ɔwɔ ahomegyeɛ mu; Ɔwɔ ahomegyeɛ berɛ mu
He is on retirement.

Me maame din de Owurayere Abena Boafo.
My mother's name is Mrs. Abena Boafo.

Wadi mfeɛ aduɔson.
She is seventy years of age.

Piesie no yɛfrɛ no Akwasi Boafo.
The eldest (of us) is called Akwasi Boafo.

W'adi mfeɛ aduonum. Waware, na ɔwɔ mma num.
He is fifty years old. He is married, and has five children.

Deɛ ɔdi Akwasi Boafo akyi no din de Kwabena Boafo.
The name of the one who comes directly after Akwasi Boafo is Kwabena Boafo.

Ɔno nso aware, na ɔwɔ mma num saa ara. Wadi mfeɛ aduanan nson.
He is also married, and has five children as well. He is forty-seven years old.

Deɛ ɔdi soɔ no yɛ ɔbaa. Yɛfrɛ no Ama Boafo.

The next in line is female. She is called Ama Boafo.

Wadi mfeɛ aduanan. Ɔyɛ kunafoɔ a ɔkuta mmɔfra mmiɛnsa.

She is forty years old. She is a widow with three children.

Ntafoɔ na wɔdi Ama Boafo akyi. Yɛfrɛ wɔn Atta Boafo Panin ne Atta Boafo Kakra.

A set of twins come after Ama Boafo. We call them Atta Boafo Panyin and Atta Boafo Kakra.

Wɔn adi mfeɛ aduasa num. Wɔn mu biara nwareeɛ na emmom wɔwɔ mpenafoɔ.

They are thirty-five years old. None of them is married but they have girlfriends.

Ne korakora no, me na metwa toɔ

Finally, I am the last-born.

Ne korakora no, me na meyɛ kaakyire.

Finally, I am the last-born.

Ne korakora no, me ne kaakyire.

Finally, I am the last-born.

Me din de Kofi Boafo.

My name is Kofi Boafo.

Madi mfeɛ aduasa.
I am thirty years old.

Me nso menwareeɛ, menni mpena, na menni ba nso.
I am also not married, I don't have a girlfriend, and I don't have a child too.

OR

Me nso maware, na mewɔ mma mmienu.
I am also married, and I have two children.

Boafo abusua yɛ abusua bi a anigyeɛ wɔ mu yie.
The Boafo family is a kind of family that is full of happiness.

Yɛdodɔ yɛn ho yɛn ho, na yɛdɔ afoforɔ nso.
We love ourselves, and we love others too.

Yɛdidi bom.
We eat together.

Na sɛ yɛn mu bi kɔ ahohiahia mu a, yɛn nyinaa pɛ ntɛm boa no.
And if one of us goes into trouble, all of us are quick to help him/her.

M'abusua ho nsɛm kakra nie. Wo deɛ ne sɛn?
This is the little about my family. What is yours?

TALKING ABOUT YOUR HOBBY – ▶ track 4

Me din de Akosua Kyekyeku.
My name is Akosua Kyekyeku.

M'<u>anigyeɛ dwumadie</u> ne dwontoɔ.
My <u>hobby</u> is singing.

Sɛ meto dwom a, anigyeɛ soronko bɛhyɛ m'akoma mu ma.
When I sing, a unique sense of happiness fills my heart.

Meto asɔre ne wiase nnwom nyinaa.
I sing both gospel and secular music.

Sɛ meredware oo, mete hyɛn mu oo, meto dwom.
Whether I'm bathing or in a vehicle, I sing.

Me na meda m'asɔre <u>adwontofoɔ kuo</u> no ano.
I am the leader of my church's <u>singing group (choir)</u>.

Anigyeɛ a mewɔ wɔ dwontoɔ mu no nti, manya <u>abasobɔdeɛ</u> pii.
Because of the happiness I have in singing, I have received many <u>awards</u>.

Mpɔtam a meteɛ no deɛ, meto dwom wɔ me fipamfoɔ nyinaa apontoɔ ase.

As for the community within which I live, I sing at the <u>parties</u> of all my <u>neighbours</u>.

Mepɛ sɛ meyɛ ɔdwontoni daakye, na megye din yie.

I want to be a musician in the future, and be very famous.

Ɛdeɛn ne w'anigyeɛ dwumadie?

What is your hobby?

WELCOMING GUESTS – ▶ track 5

Agoo!
Knock! Knock!

Amee!
Response

Bra mu
Come in

Akwaaba!
Welcome

Mema wo akwaaba
I welcome you

Yɛma wo akwaaba
We welcome you

    ☐ **Yaa agya** *(to an elderly man)*
    ☐ **Yaa ɛna** *(to an elderly woman)*
    ☐ **Yaa anua** *(to a friend; age mate; colleague)*
    ☐ **Yaa ɔdɔ** *(to a loved one)*

Mepa wo kyɛw, akonnwa wɔ hɔ
Please, there is a chair (offer)

Akonnwa wɔ hɔ

There's a chair.

□ **Meda wo ase** LF
□ **Medaase** SF
Thank you.

Memma wo nsuo?

Should I give you water?

Yɛmma wo nsuo?

Should we give you water?

□ **Ɛyɛ, medaase**
It's OK, thank you.

□ **Menomm bi wɔ kwan so, medaase**
I drank some on the way (on my way here), thank you.

□ **Mepa wo kyɛw, aane.**
Yes, please.

Ɛkwan soɛ?

LIT: the road (way) top?

How was your coming?; How was your journey?

□ **Ɛkwan so bɔkɔɔ**
My coming/journey was smooth/calm

□ **Deɛ mefiri deɛ bɔkɔɔ**
It's peaceful/calm where I came from.

Ɛkwan so bɔkɔɔ?
Was your coming/journey smooth?; Did you have a smooth journey?

□ **Aane, ɛkwan so bɔkɔɔ**
Yes, my travel/journey was smooth/peaceful.

Wo na wonam, ɛkwan so?
You are the traveler (you are the visitor), your mission?

□ **Yoo, medaase. Menkura no bɔne...**
Okay, thank you. I came in peace...

HOW TO GREET AND EXCHANGE PLEASANTRIES – ▶ track 6

Akwaaba
Welcome

☐ **Yaa agya** *(to an elderly man)*
☐ **Yaa ɛna** *(to an elderly woman)*
☐ **Yaa anua** *(to a friend; age mate; colleague)*
☐ **Yaa ɔdɔ** *(to a loved one)*

Mema wo akye LF
Maakye SF
Good morning

☐ **Yaa agya** *(to an elderly man)*
☐ **Yaa ɛna** *(to an elderly woman)*
☐ **Yaa anua** *(to a friend; age mate; colleague)*
☐ **Yaa ɔdɔ** *(to a loved one)*

Mema wo aha LF
Maaha SF
Good afternoon

☐ **Yaa agya** *(to an elderly man)*
☐ **Yaa ɛna** *(to an elderly woman)*
☐ **Yaa anua** *(to a friend; age mate; colleague)*
☐ **Yaa ɔdɔ** *(to a loved one)*

Mema wo adwo _{LF}
Maadwo _{SF}
Good evening

☐ **Yaa agya** *(to an elderly man)*
☐ **Yaa ɛna** *(to an elderly woman)*
☐ **Yaa anua** *(to a friend; age mate; colleague)*
☐ **Yaa ɔdɔ** *(to a loved one)*

Wo ho te sɛn? _{LF}
Ɛte sɛn? _{SF}
Wo ho yɛ? _{SQ}

> **LIT:** your body/self is good?

How are you?

☐ **Me ho yɛ**
I am well

☐ **Ɛyɛ**

> **LIT:** it is good

good

☐ **Bɔkɔɔ**
calm; cool

Ɛrekɔ sɛn?

> **PRON:** ɛɛkɔ sɛn?

How's it going?

□ εrekɔ yie

> **PRON:** εεkɔ yie

It's going well

Ɛnneɛma te sɛn?
Ɛnneɛma rekɔ sɛn?
How are things?

□ **Ɛnneɛma rekɔ yie**

> **PRON:** εnneɛmεεkɔ

Things are going well

□ **Ɛnneɛma yɛ** LF
Things are good

□ **Ɛyɛ** SF

> **LIT:** it is good

It's good

Abrabɔ mu te sɛn?
How is life?

□ **Abrabɔ mu yɛ**
Life is good

□ **abrabɔ mu yɛ pa ara**

> **PRON:** abrabɔ mu yɛ paa

life is very good

□ **ɛyɛ** SF

> **LIT:** it is good

It's good

W'abusuafoɔ ho te sɛn?
how's your family (members)?

□ **wɔn ho yɛ**
they are well/good

□ **m'abusuafoɔ ho yɛ**
my family (members) is/are well/good

□ **obiara ho yɛ**
everyone is well/good

Ɛdeɛn na ɛrekɔ so?

> **PRON:** ɛdeɛnɛɛkɔ so?

What's up?

□ **Ɛnyɛ biribi titire biara oo**
Nothing much; nothing in particular

Mehuu wo akyɛ
It's been a long time since I saw you; long time no see

□ **Nokorɛ. Me nso mehuu wo akyɛ**
True. It's been a long time since I saw you too

Wo ho ayɛ fɛ!
You look great!

□ **Meda wo ase** LF
□ **Medaase** SF
thank you

Ɛdeɛn na woreyɛ no nnansa yi?
What have you been up to/doing lately?

□ **Mekɔ sukuu**
I go to school; I school

□ **Mehyɛ fie nko ara**

PRON: mehyɛ fie **nkoaa**

I've only been home

Biribiara bɔkɔɔ deɛ?
Is everything alright though?

□ **Aane**
Yes

☐ **Dabi**
No

☐ **Adɛn na worebisa**

> PRON: adɛn na **woobisa**?

Why do you ask?

Kyea w'abusua/w'abusuafoɔ ma me
Greet your family for me

☐ **Wɔbɛte**
They will hear

Mema wo adwuma oo! LF
Adwuma dwuma SF
*a special greeting to someone who is working/engaged in a physical activity

☐ **Adwuma yɛ**

> LIT: work is good

HOW TO RESPOND TO GREETINGS – ⏵ track 7

Me ho yɛ
I'm fine

Ɛyɛ

| LIT: it is good |

Good

Bɔkɔɔ
Cool; calm

Me ho yɛ pa ara

| PRON: me ho yɛ **paa** |

I'm very well

Ɛyɛ ara
I can't complain; so-so

Wo nsoɛ?

| LIT: you also? |

Woɛ?

| LIT: you? |

How about you?

Sɛdeɛ ɛte daa no ara

> **PRON:** sɛdeɛ ɛte daa **noaa**

Sɛnea ɛte daa no ara

> **PRON:** sɛnea ɛte daa **noaa**

Same as always

Saa ara

Same

Sɛdeɛ na ɛte nnora no ara

> **PRON:** sɛdeɛ na ɛte nnora **noaa**

Sɛnea na ɛte nnora no ara

> **PRON:** sɛnea na ɛte nnora **noaa**

Same as yesterday.

Biribiara nsesaeɛ

> **PRON: biibiaa** nsesaeɛ

Nothing has changed

Ɛnyɛ biribi titire biara

> **PRON:** ɛnyɛ **biibi** titire **biaa**

nothing much

HOW TO RESPOND TO GREETINGS – ▶ track 7

Me ho yε
I'm fine

Εyε

> **LIT:** it is good

Good

Bɔkɔɔ
Cool; calm

Me ho yε pa ara

> **PRON:** me ho yε **paa**

I'm very well

Εyε ara
I can't complain; so-so

Wo nsoε?

> **LIT:** you also?

Woε?

> **LIT:** you?

How about you?

Sɛdeɛ ɛte daa no ara

> **PRON:** sɛdeɛ ɛte daa **noaa**

Sɛnea ɛte daa no ara

> **PRON:** sɛnea ɛte daa **noaa**

Same as always

Saa ara

Same

Sɛdeɛ na ɛte nnora no ara

> **PRON:** sɛdeɛ na ɛte nnora **noaa**

Sɛnea na ɛte nnora no ara

> **PRON:** sɛnea na ɛte nnora **noaa**

Same as yesterday.

Biribiara nsesaeɛ

> **PRON: biibiaa** nsesaeɛ

Nothing has changed

Ɛnyɛ biribi titire biara

> **PRON:** ɛnyɛ **biibi** titire **biaa**

nothing much

WISHES AND SEASONAL GREETINGS – ⊚ track 8

Mema wo awoda pa
Happy birthday

> ☐ **Meda wo ase** LF
> ☐ **Medaase** SF
> Thank you

Afenhyia pa
Merry Christmas

> ☐ **Afe nkɔ mmɛto yɛn**
> Let's live to see another year

Mema wo Yesu wusɔreɛ da pa
Happy Easter

> ☐ **Me nso mema wo Yesu wusɔreɛ da pa**
> I wish you a happy Easter too.

Awurade nhyira wo
God bless you

> ☐ **Amen. Ɔnhyira wo nso**
> Amen. He should bless you too.

Mesrɛ Awurade nhyira ma wo
I wish you God's blessings

□ **Amen. Awurade nhyira wo nso**
Amen. God bless you too.

Mema wo due LF
Due ne amanehunu LF
Due! SF
*to the bereaved

HOW TO BID FAREWELL; SAY GOODBYE – ⏺ track 9

Nante yie

LIT: walk well

Farewell

Baabae; baae BR
Goodbye; bye

Hwɛ wo ho so yie
Take care

☐ Wo nso saa ara

PRON: wonso saa

You too

Akyire yi
Later

Yɛbɛhyia
We'll meet; We shall meet

Yɛbɛsan ahyia
We'll meet again

HOW TO THANK SOMEONE/PEOPLE

– ⏵ track 10

Meda wo ase LF
Medaase SF
Thank you

Meda wo ase pii LF
Medaase pii SF
Thanks a lot

Meda wo ase sɛ woboaa me LF
Medaase sɛ woboaa me
Thanks for helping me

Mede nnaaseɛ a ɛnni kabea ma wo
I give you unquantifiable thanks

Meda wo ase pa ara LF

> PRON: meda wo ase **paa**

Medaase pa ara SF

> PRON: medaase **paa**

Thank you so much

Woaboa me pa ara. Medaase
You've really helped me. Thank you.

M'ani sɔ deɛ woayɛ ama me no pa ara
I really appreciate what you've done for me

M'ani sɔ wo mmoa
I'm grateful for your help

Wo yam yɛ pa ara
You're very kind

Mentumi nna w'ase nwie
Mentumi nwie w'aseda
I can't thank you enough

Mede wo aseda ka
I owe you a thank you

HOW TO RESPOND TO A 'THANK YOU'

– ▶ track 11

Me nso meda wo ase LF
Me nso medaase SF
I also thank you

Ɛnyɛ hwee
No problem; it's nothing

Ɛnha wo ho
Don't worry yourself

Ɛyɛ me anigyeɛ sɛ metumi boaa wo
Glad to have been of help

Ɛnna ase
Don't thank; don't mention it

Ɛnna m'ase
Don't thank me

Yɛmfa aseda no mma Awurade
Let's give the thanks to God

Berɛ biara a wohia mmoa
Anytime you need help

Kakra a na mɛtumi ayɛ ara nono

PRON: **kakraa** na mɛtumi **ayɛaa** nono

It was the least I could do

Yoo

Okay

Mate
Mate deɛ woaka no

LIT: I have heard what you have said

I've heard you

HOW TO APOLOGISE – ⏵ track 12

Mepa wo kyɛw LF
Mepaakyɛw SF
Please

Mesrɛ wo
I beg you

Manu me ho
I've regretted

Fa kyɛ me
Forgive me

Kosɛ
Kafra
Sorry

Na ɛsɛ sɛ mefrɛ wo
I should've called you

Mekoto srɛ wo
I kneel before you in apology

Ɛyɛ me ara me mfomsoɔ
It's my fault

Me mfomsoɔ
My mistake

Mafom wo
Mayɛ wo bɔne
I've wronged you.

Wodi bem
You're right

Medi fɔ
I'm wrong

Manhyɛ da
It wasn't intentional; it was an accident

M'ani awu
I'm ashamed; I'm embarrassed

Ɛnsi bio
It won't happen again

Menyɛ saa bio
I won't do that again

HOW TO RESPOND TO APOLOGIES – ⏺ track 13

Ɛyɛ
That's OK

Ɛnyɛ hwee
It's nothing

Ɛsi
It happens

Ɛsi daa
Ɛtaa si
it happens always

Ɛnha wo ho
don't worry yourself

Ɛnnwene ho
Don't worry about it; don't think about it

Ɛnnwene ho koraa
Don't worry about it at all

Mede akyɛ wo
I have forgiven you; I forgive you

Memfa nkyɛ wo
I won't forgive you

Ɛnyɛ saa bio
Don't do that again

Magyae mu
Magya ama no aka
I've let it slide

Ɛho nhia
It's not important

Magye wo kyɛwpa no atom
I've accepted your apology

HOW TO SHOW REGRET – ⊙ track 14

Mennim nea ɛbaa me so
I don't know what came over me

Ɛnsi bio
It won't happen again; it won't repeat itself

Menhu nea menka mpo
I don't even know what to say

Masua me nyansa
I've learnt my lesson

Ɛnyɛ saa na meteɛ
That's not how I am

Manka no yie. Fa kyɛ me.
I didn't say it well. Forgive me.

HOW TO INTRODUCE YOURSELF – ⏺ track 15

Ma menyi me ho adi
Ma menna me ho adi
Let me introduce myself

Ma menyi me ho adi nkyerɛ wo
Ma menna me ho adi nkyerɛ wo
Let me introduce myself to you

Yɛfrɛ me Yaw
I'm called Yaw

Wɔfrɛ me Yaw
They call me Yaw

Me din de Yaw
My name is Yaw

Madi mfeɛ aduasa
I'm 30 years old

Mefiri Amɛrika
I'm from America

Yɛnhyiaa da
We haven't met before

Mennye nni sɛ yɛahyia

I don't think we've met

Mennye nni sɛ yɛahyia pɛn

I don't think we've met before

Mehyiaa wo wɔ Kofi apontoɔ no ase

I met you at Kofi's party

Ɛyɛ me anigyeɛ sɛ mehyiaa woɔ

I'm glad to have met you

□ Me nso saa ara

PRON: me[ns]o saa

Likewise

Woka borɔfo?; woka potɔ kasa?

LIT: you speak English language?

Do you speak English?

Wote borɔfo?; wote potɔ kasa?

LIT: you hear [understand] English language?

Do you understand English?

□ Aane

Yes

☐ **Dabi**
   No

Ɛyɛ me ahohoahoa sɛ mehyiaa woɔ
I'm honoured to have met you?

HOW TO INTRODUCE OTHERS – ▶ track 16

Yei yɛ...; Wei yɛ...
This one is...

Yei yɛ Kofi; Wei yɛ Kofi
This one is Kofi

Yei din de Kofi; Wei din de Kofi
This one's name is Kofi

... ni; ... nie
This is...

Kofi ni; Kofi nie
This is Kofi

Me yere nie
This is my wife

Me mpena nie
This is my girlfriend; This is my boyfriend

Me ba baa nie
This is my daughter

Me ba barima nie
This is my son

Ne din de Kwabena

His name is Kwabena

Ne din de Ama

Her name is Ama

Mɛpɛ sɛ wobɛhyia...

I'd like you to meet...

Mepɛ sɛ wohyia...

I like you to meet...

Na wo nsoɛ?

LIT: and you also?

Na woɛ?

LIT: and you?

And you?

Woahyia Yaa?

Have you met Yaa?

Woahyia Yaa pɛn?

Have you met Yaa before?

EXPRESSIONS FOR MAKING FRIENDS

– ▶track 17

Adamfoɔ
Friend

Adamfo pa
Good friend

Adamfo bɔne
Bad friend

Wo ho te sɛn? LF
Ɛte sɛn? SF
How are you?

□ Me ho yɛ, na wo nsoɛ?
I'm well, how about you?

□ Me nso me ho yɛ
I'm also well

Wo din de sɛn?

LIT: your name is what?

Wɔfrɛ wo sɛn?

LIT: they call you what?

Wode sɛn?

Ne din de Kwabena

His name is Kwabena

Ne din de Ama

Her name is Ama

Mɛpɛ sɛ wobɛhyia...

I'd like you to meet...

Mepɛ sɛ wohyia...

I like you to meet...

Na wo nsoɛ?

> **LIT:** and you also?

Na woɛ?

> **LIT:** and you?

And you?

Woahyia Yaa?

Have you met Yaa?

Woahyia Yaa pɛn?

Have you met Yaa before?

EXPRESSIONS FOR MAKING FRIENDS

– ⓘ track 17

Adamfoɔ
Friend

Adamfo pa
Good friend

Adamfo bɔne
Bad friend

Wo ho te sɛn? LF
Ɛte sɛn? SF
How are you?

> ☐ **Me ho yɛ, na wo nsoɛ?**
> I'm well, how about you?

> ☐ **Me nso me ho yɛ**
> I'm also well

Wo din de sɛn?

LIT: your name is what?

Wɔfrɛ wo sɛn?

LIT: they call you what?

Wode sɛn?

> **LIT:** you are named what?

Yɛfrɛ wo sɛn?

> **LIT:** we call you what?

What is your name?

☐ **Me din de Yaw**

> **LIT:** my name is Yaw

☐ **Wɔfrɛ me Yaw**

> **LIT:** they call me Yaw

☐ **Mede Yaw**

> **LIT:** I'm named Yaw

☐ **Yɛfrɛ me Yaw**

> **LIT:** we call me Yaw

My name is Yaw

Mepa wo kyɛw, wo din no bio?
Mepa wo kyɛw, bɔ wo din no bio ma me
Please, your name again?

Ɛyɛ me anigyeɛ sɛ yɛahyia
M'ani agye sɛ yɛahyia
Nice to meet you; pleased to meet you

Woyɛ adwuma bɛn?
What do you do? (work)

Ɛhe na woyɛ adwuma?
Ɛhefa na woyɛ adwuma?
Where do you work?

☐ **Meyɛ adwuma wɔ sika korabea**
I work at the bank

☐ **Menyɛ adwuma**
I don't work

☐ **Meyɛ polisini**
I'm a police officer

☐ **Meyɛ ɔsraani**
I'm a soldier

Wonim me?
Do you know me?; Do you know who I am?

☐ **Aane**
Yes

☐ **Dabi**
No

Ɛkwan bɛn so na monim mo ho?
How do you know each other?

☐ **Yɛyɛ adwuma bom**
☐ **Yɛyɛ adwuma baako; Yɛyɛ adwuma koro**
We work together; We work at one place

- □ Yɛkɔ sukuu bom
- □ Yɛkɔ sukuu baako; Yɛkɔ sukuu koro
  We school together

Wofiri he?
Where do you come from?; Where are you from?

- □ **Mefiri Amɛrika**
  I'm from America

Wote he?
Where do you live?; Where do you stay?

- □ **Mete Tafo**
  I live/stay at Tafo

- □ **Mefiri Amɛrika nanso mete Tafo**
  I'm from America but I live/stay at Tafo

Wokɔ sukuu wɔ he?
Where do you school?

- □ **Mekɔ sukuu wɔ 'Beacon International School'**
  I school at *Beacon International School.*

Wokɔ sukuu bɛn?
Which school do you attend?

□ **Mekɔ 'Beacon International School'**
I attend *Beacon International School'*

Borɔno bɛn na woteɛ?
In which suburb do you stay/live?

□ **Mete Bohyɛn**
I live at Bohyɛn

Mpɔtam bɛn na woteɛ?
In which community do you reside?

□ **Mete Santase**
I live at Santasi

Woyɛ hɔhoɔ wɔ ha?
Are you a stranger here?

□ **Aane**
Yes

□ **Dabi**
No

Ɛdeɛn na ɛde wo baa ha?
What brought you here?

□ **Mebɛsuaa adeɛ**
I came to study

- **Mebaa sukuu**
  I came to school

- **Mebɛwareeɛ**
  I came to marry

- **Mebɛhwehwɛɛ ɔyere**
  I came in search of a wife

- **Mebɛhwehwɛɛ okunu**
  I came in search of a husband

- **Mebɛdii akwamma**
  I came to spend the holidays/vacation

- **Mebaa no atenaseɛ**
  I came to stay

- **Mebɛpɛɛ adwuma**
  I came to find a job

Wobaeɛ no nna dodoɔ sɛn ni?

How many days has it been since you came?

Wobaeɛ no abosome dodoɔ sɛn ni?

How many months has it been since you came?

Wobaeɛ no mfeɛ dodoɔ sɛn ni?

How many years has it been since you came?

☐ **Mereduru ara ni**

> PRON: meeduaa ni

☐ **Mereba ara ni**

> PRON: meebaa ni

I just arrived

☐ **Mebɛduruiɛ no nnawɔtwe nie**
☐ **Mebaeɛ no nnawɔtwe nie**
It's been a week since I arrived

Mepɛ wo adamfoɔ
I want you as a friend

Woyɛ adamfo pa
You're a good friend

M'ani sɔ w'ayɔnkofa
I appreciate your friendship

M'ani sɔ yɛn ayɔnkofa
I appreciate our friendship

W'ani gye ha asetena?
W'ani gye ha?
Do you like it here?; Are you happy here?

Ɛha ne Amɛrika, ɛhe na wosusu sɛ ɛhɔ yɛ dɛ pa ara?
Between here and America, which place do you think is more fun?

46

Ɛdeɛn pa ara na ɛma w'ani gye Ghana ho?
What at all/exactly makes you like Ghana the most?

☐ **Mo aduane**
Your PL food

☐ **Mo amammerɛ**
Your PL culture

☐ **Mo kasa**
Your PL language

☐ **Mo mmaa**
Your PL women

Woadi mfeɛ sɛn?
How old are you?

☐ **Madi mfeɛ aduonu**
I'm 20 years old

Na wo nsoɛ?
How about you?

☐ **Me nso madi mfeɛ dunwɔtwe**
I'm also 18 years old

Nti da bɛn ne w'awoda
So what day is your birthday?; So when is your birthday?

Da bɛn na wɔwoo wo?
On which day were you born?

□ **Wɔwoo me Yawoada, Ɛbɔ da a ɛtɔ so aduonu num wɔ afe apem, aha nkron aduɔwɔtwe mu.**
I was born on Thursday, September 25 1980.

Wɔwoo wo bosome bɛn mu?
In which month were you born?

□ **Ɔpɛpɔn**
January

□ **Ɔgyefoɔ**
February

□ **Ɔbɛnem**
March

□ **Oforisuo**
April

□ **Kotonimma**
May

□ **Ayɛwohomumɔ**
June

□ **Kitawonsa**
July

☐ **Ɔsanaa**
August

☐ **Ɛbɔ**
September

☐ **Ahinime**
October

☐ **Obubuo**
November

☐ **Ɔpɛnimma**
December

Wo ne hwan na ɛteɛ?
Whom do you live with?

☐ **Me ne me wɔfa na ɛteɛ**
I live with my uncle

☐ **Me ne me maame na ɛteɛ**
I live with my mother

☐ **Me ne me papa na ɛteɛ**
I live with my father

☐ **Me ne me nuabaa na ɛteɛ**
I live with my sister

☐ **Me ne m'awofoɔ na ɛteɛ**
I live with my parents

☐ **Me ne m'abusuafoɔ na ɛteɛ**
I live with my relatives

☐ **Me nko ara na meteɛ**

PRON: m[en]koaa na meteɛ

I live alone

Metumi bɛsra wo?
Mɛtumi abɛsra wo?
Can I come and visit you?; Can I pay you a visit?

Metumi frɛ wo?
Mɛtumi afrɛ wo?
Can I call you?

Wowɔ abɛɛfo kwantempɔn intanɛt so?
Are you online?

Edin bɛn na wode wɔ intanɛt so?
What name do you use on the internet?; What's your username online?

Edin bɛn na mɛtumi de ahwehwɛ wo wɔ intanɛt so?
What name can I use to search you online?

Wo nuanom yɛ sɛn?
How many are your siblings?

Wowɔ nnamfoɔ dodoɔ sɛn?
How many friends do you have?

Meda wo ase pa ara.
Thank you very much.

HOW TO SHOW INTEREST – ▶ track 18

Saa?
Really?

O saa?
Oh really?

O yoo!
Oh OK!

Saa!
Right!

Ampa
True; Sure

Ɛyɛ anika
It's interesting

Aa!
Ah!

Saa pɛpɛɛpɛ!
Nnansɔɔme!
That's right!

Ɛdeɛn nea?
Whaatt?

Mawu!
I'm dead!

HOW TO START A CONVERSATION –  track 19

Awɔ wom, meboa?
It's cold (weather), isn't it?

Ahuhuro wom pa ara, meboa?
It's very hot (weather), isn't it?

Wo nua ne Adwoa?
Is Adwoa your sister?

W'adamfo ne Kwadwo?
Is Kwadwo your friend?

Wotiee kaseɛ no nnora?
Did you listen to the news yesterday?

Wohwɛɛ agokansie no Benada?
Did you watch the match on Tuesday?

Wohwɛ a madi mfeɛ sɛn.
Guess how old I am; Guess my age.

Wohu ha sɛn?
How do you see this place?

Sini bɛn na wopɛ pa ara?
Which movie do you like best?

54

HOW TO END A CONVERSATION – ▶ track 20

Adeɛ reyɛ asa

PRON: adeɛɛyɛ asa

It's getting late

Adeɛ asa

It's late

Ɛwɔ sɛ mefiri aseɛ kɔ

I need to get going

Mentwa w'ano...

I don't mean to cut you...

Mentwa w'ano na mmom ɛwɔ sɛ mekɔ

I don't mean to cut you but I've got to go

Obi retwɛn me

PRON: obiitwɛn me

I'm going

Merekɔ

PRON: meekɔ

I'm going; I'm leaving

Yɛnkasa kyena

Let's talk tomorrow

Yɛnni nkɔmmɔ kyena

Let's converse tomorrow

Wobɛwɔ ha kyena? Yɛnhyia

Will you be here tomorrow? Let's meet.

Agorɔ no reyɛ dɛ no, na adeɛ resa nkurasefoɔ IDIOM

It is at the point where the game/function is getting interesting that it begins to get late for people from the village.

Ɛyɛ me dɛ sɛ me ne wo bɔɔ nkɔmmɔ
Ɛyɛ me anigyeɛ sɛ me ne wo bɔɔ nkɔmmɔ

I'm glad I had a conversation with you.

M'ani agye yɛn nhyiamu yi ho

I've enjoyed our encounter/meeting

HOW TO EXPRESS YOURSELF ON PHONE

–  track 21

Hɛloo _{BR}
Hello

Wote me nka?
Can you hear me?

> ### □ Dabi. Ahoma no retwitwa
> No. The line is breaking.

> ### □ Gyina yie.
> Position yourself well.

> ### □ Mente
> I can't hear

Kosɛ. Ma memfrɛ wo bio
Sorry. Let me call you again/back

Hɛloo, Yaw nie?
Hello, is this Yaw?

> ### □ Aane, Yaw nie
> Yes, this is Yaw

Mɛtumi ne Kwadwo akasa?
May I speak with Kwadwo?

Merehwehwɛ Adwoa

PRON: meehwehwɛ Adwoa

I'm looking for Adwoa.

Adwoa wɔ hɔ?

Is Adwoa there?

Mepa wo kyɛw, wobɛtumi afrɛ Adwoa ama me?

Please, can you call me Adwoa?

□ **Adwoa na ɛrekasa yi**
This is Adwoa speaking.

□ **Wapue**
She's stepped out.

Wofrɛeɛ?

Did you call?

Wofrɛeɛ

You called

Gyina so

Hang on

Gyina so simma

Hang on a minute

☐ **Magyina so akyɛ dodo**
I've held on for too long

Frɛ me ɔkyena
Call me tomorrow.

Wofrɛɛ nnora?
Did you call yesterday?

Ɛmfrɛ me anadwo
Don't call me at night.

Ɛmfrɛ me bio
Don't call me again

Adeɛ asa
It's late

Adɛn na mefrɛɛ woamfa?
Why didn't you pick up when I called?

Ɔnni ha
He/she is not here

Ɔnni hɔ
He/she is not there

Wobɛpɛ sɛ wode nkra bɛgya anaa?
Would you like to leave a message?

Wode nkra bɛgya?
Wobɛgya nkra?
Will you leave a message?

Wobɛtumi aka akyerɛ no sɛ ɔmfrɛ me?
Could you ask him/her to call me?

Mepa wo kyɛw, ka kyerɛ no sɛ ɔmfrɛ me.
Please, tell him/her to call me.

Ka kyerɛ no sɛ mefrɛeɛ
Tell him/her that I called.

Meda wo ase sɛ wofrɛeɛ LF
Medaase sɛ wofrɛeɛ SF
Thank you for calling.

HOW TO ASK FOR INFORMATION – ▶ track 22

Wobɛtumi aka akyerɛ me?
Can you tell me?

Mepɛ sɛ mehunu…
I like to know…

Mɛpɛ sɛ mɛhunu…
I'd like to know…

Wonim…?
Do you know…?

Na wonim…?
Did you know…?

Wonim ho biribi?

PRON: wonim ho **biibi**

Do you know anything about it?

Megye di sɛ wonim…
I believe you know…

Ɛwɔ he?
Where is it?

HOW TO SAY 'I DON'T KNOW' – ⊙ track 23

Mennim
I don't know

Mennim ho hwee
I don't know anything about it

Menni ho nimdeɛ biara
I have no idea/knowledge about it

Ɛboro m'adwene so
It beats my thinking

Ɛboro m'adwene ne me nteaseɛ so
It beats my thinking and understanding

Mennye nni
I don't think so; I don't believe so

Mentumi mmoa wo
I can't help you

Yei deɛ, mennim
As for this, I don't know

Bisa obi foforɔ
Bisa ɔfoforɔ
Ask somebody else

Bisa Kwabena
Ask Kwabena

Ɛyɛ me naa
It's not clear to me.

HOW TO GIVE AND SOLICIT OPINIONS

– ⊙ track 24

Wodwene ho sɛn?
What do you think about it?

Ɛte wo sɛn?
How do you feel about it?

W'adwene wɔ ho ne sɛn?
W'adwene ne sɛn?
What's your opinion/thinking about it?

□ **M'adwene ne sɛ...**
□ **M'adwene mu no...**
In my opinion...

□ **Ɛkaa me nko a...**
Left to me alone...

□ **Nka mɛka sɛ...**
□ **Mɛka sɛ...**
I'd say...

□ **Menni hwee ka fa ho**
I don't have anything to say about it.

□ **Mewɔ pii ka fa ho**
I have a lot to say about it

Sɛ wobisa me a...
If you ask me...

64

Me deɛ, megye di sɛ...
As for me, I believe...

Sɛ wobisa me a, nka mɛka sɛ ɔretwa ntorɔ
If you ask me, I'd say he's lying

Sɛdeɛ mehu no no...
The way I see it...

Me nsusuiɛ mu no...
From my point of view...

HOW TO INDICATE YOU DON'T HAVE AN OPINION –
⊚ track 25

Mennwenee ho
I haven't thought about it

Mennwenee ho pii saa
I haven't thought much about it

Ɛnsesa hwee
It doesn't change anything

Menni hwee ka fa ho
I don't have anything to say about it

Yi me firi mu
Take me out of it

Mempɛ sɛ mɛka ho asɛm
I don't want to talk about it

Deɛ wopɛ sɛ woyɛ biara
Whatever you want to do

Deɛ wopɛ sɛ woyɛ fa ho biara
Whatever you want to do about it

Menni biribi titire biara ka fa ho
I don't have anything particular to say about it

Menni ho adwene biara
I don't have any thought on it.

HOW TO CHECK FOR AGREEMENT – ⊚ track 26

Wo ne me yɛ adwene?
Do you agree with me?

Wo ne me nyɛ adwene?
You don't agree with me?

Wodwene ho sɛn?
What do you think about it?; What do you think?

Wonhu saa?
Don't you see it so?

Meboa?

> **LIT:** I lie?

Isn't it?

HOW TO EXPRESS AGREEMENT – ▶ track 27

Pɛpɛɛpɛ
Exactly

Saa pɛpɛɛpɛ
Exactly so

Nokorɛ
Ampa
True

Ɛyɛ nokorɛ pa ara
It's so true

Ɛyɛ nokorɛ turodoo
It's the complete truth

Saa pɛpɛɛpɛ na ɛtee
Exactly how it is

Me ne wo yɛ adwene
I agree with you

Woaka deɛ na mepɛ sɛ meka nyinaa
You've said all I wanted to say

Asɛ na wonim deɛ mepɛ sɛ meka pɛpɛɛpɛ
It's as if you knew exactly what I wanted to say

Saa pɛpɛɛpɛ na m'adwene yɛ me
That's exactly what I think

Ɛyɛ me saa
It appears so to me

Woakasa yie
You've spoken well

Wodi bem
You're right

Aane
Yes

W'adwene mu dɔ
You're deep

HOW TO EXPRESS DISAGREEMENT – ⏵ track 28

Mennye nni
I don't believe it

Mennye wo nni
I don't believe you

Dabi
No

Ɛnyɛ nokorɛ
It's not true

Me ne wo nyɛ adwene
I disagree with you; I don't agree with you

Ɛnte saa
Ɛnyɛ saa
It's not so

Dabi, ɛnte saa
Dabi, ɛnyɛ saa
No, it's not so

Ɛnyɛ saa koraa
Ɛnte saa koraa
It's not so at all

Me ne wo nyɛ adwene koraa
I totally disagree with you

Ɛnyɛ saa na mehu no
That's not how I see it

Aane, nanso ɛyɛ ne sika
Yes, but it's his/her money.

HOW TO RESPOND TO GOOD NEWS

–  track 29

Woayɛ adeɛ
You've done well

Mo!
Good job!; Congratulations!; kudos!

M'ani agye ama wo
I'm happy for you

M'ani agye ama wo pa ara
I'm so happy for you

Kɔ so saa ara
Keep at it

HOW TO RESPOND TO BAD NEWS – ▶ track 30

Ɛntumi nyɛ nokorɛ
It can't be true

O dabi!
Oh no!

Me werɛ aho ama wo
I feel sad for you

Me werɛ aho
I'm sad

Nti wobɛyɛ no deɛn?
So what will you do about it?

Kosɛ
Kafra
Sorry

Ka w'akoma to wo yam
Take heart

Woahwere adeɛ a ɛsom bo
You've lost something valuable

Awurade na ɔma; ɔno ara na ɔgyeɛ
God giveth; He taketh

Fa ma Awurade
Give it to God

Gyae ma Awurade
Leave it to God

Ɛnnwene ho pii
Don't think about it too much

Hyɛ den
Be strong

Ɛbɛyɛ yie
It shall be well

HOW TO INVITE – ▶ track 31

Wobɛpɛ sɛ wobɛba fie ɔkyena?
Would you like to come home tomorrow?

Wowɔ berɛ?
Do you have time?

Yɛmpue?
Should we go out?

Metumi de wo pue?
Mɛtumi de wo apue?
Can I take you out?

Wobɛba nhyiamu no?
Will you come for the meeting?

☐ **Mɛhwɛ sɛ mɛtumi aba a**
I'll see if I can come

☐ **Mentumi mma**
I can't come; I can't make it

☐ **Mɛba**
I will come

☐ **Nka mɛpɛ sɛ mɛba nanso mewɔ baabi foforɔ kɔ**
I'd love to come, but I must be somewhere else

☐ **Da foforɔ**
Another day; Some other day

76

□ **Da fofoɔ**
  Another day; Some other day

☐ **Mennye nni sɛ mɛtumi aba**
I don't think/believe I can come

Me nsa aka
You're invited *(to eat with me)*

☐ **Meda wo ase** LF
☐ **Medaase** SF
Thank you

HOW TO MAKE/RESPOND TO AN OFFER

– ▶ track 32

Yɛmma wo nsuo?
Should we give you some water?; Care for some water?

Wobɛnom nsuo?
Will you drink some water?

Memma wo biribi nni?
Should/Can I get you something to eat?

Bra ma yɛnnidi
Come and let's eat

Aduane bɛn na wopɛ?
Which food do you prefer?

Nsa bɛn na wopɛ?
Which drink do you like?

> ☐ **Nsa dɔkɔdɔkɔ biara yɛ**
> Any soft drink will do

> ☐ **Mepɛ nsaden**
> I want a strong liquor

Woamen?
Are you full? *(food)*

> ☐ **Aane, medaase**
> Yes, thank you

☐ **Dabi, ma me bi nka ho**
   No, get me extra

☐ **Dabi, medaase. Ɛyɛ**
   No, thank you. It's OK

HOW TO TALK ABOUT LIKES AND DISLIKES

– ▶ track 33

M'ani gye nnwom ho
Mepɛ nnwom
I love/like music

Mepɛ dwontoɔ
I like singing

Mepɛ bɔɔlobɔ pa ara
I really like football

M'ani gye akuturukubɔ ho
Mepɛ akuturukubɔ
I like/love boxing

M'akoma wɔ adepam mu
My heart is with sewing

Mawu ama *Kotɔkɔ Bɔɔlobɔ Kuo* no
I'm dead for the *Kotoko Football Club*

Mempɛ apuepue saa
I don't really like outings

Mentumi nnyina wo dwontoɔ koraa
I can't stand your singing at all

80

Akuturukubɔ nyɛ m'asɛm
Akuturukubɔ mfa me ho
Boxing isn't my cup of tea

Wobɔ bɔɔlo?
Do you play football?

Deɛn na wopɛ yɛ pa ara?
What do you like doing most?

Deɛn na wompɛ yɛ?
What don't you like doing?

HOW TO ASK FOR DIRECTIONS – ⓘ track 34

Ɛhe ne ha?
What is this place?

Meyɛ hɔhoɔ
I am a stranger

Memfiri ha
I'm not from here

Mepa wo kyɛw, wobɛtumi akyerɛ me baabi a ahyɛn gyinabea no wɔ?
Please, can you show me where the bus stop is?

Mepa wo kyɛw, wobɛtumi akyerɛ me baabi a asopiti/ayaresabea no wɔ?
Please, can you show me where the hospital is?

Merehwehwɛ...

PRON: meehwehwɛ

I'm looking for...

Yɛrekɔ mpoano
We are going to the beach

Ɛkwan yi kɔ mpoano hɔ?
Does this road lead to the beach?

Keteke gyinabea no wɔ he?
Where is the train station?

Ɛkwan wa? LF
Ɛwa? SF
Is it far?

Ɛbɛn?
Is it close/near?

Benkum anaa nifa?
Left or right?

Anim anaa akyire?
Front or back?

Meda wo ase LF
Medaase SF
Thank you

HOW TO GIVE DIRECTIONS – ▶ track 35

Aha yɛ Kumase

> **LIT:** here is Kumasi

This is Kumasi

Ahyɛn gyinabea no wɔ w'akyi

The bus stop is behind you

Me nso memfiri ha

I'm also not from here

Mennim

I don't know

Fa kyɛ me, mennim beaeɛ hɔ
Fa kyɛ me, mennim hɔ

> **LIT:** forgive me, I do not know there

I'm sorry (forgive me), I don't know the place

Ɛkwan nwa saa
Ɛnwa saa

It is not that far

Ɛkwan wa pa ara
Ɛkwan wa yie

It is very far

Wontumi nnante nkɔ hɔ
You cannot walk there

Gye sɛ wofa hyɛn
Unless you pick a vehicle

Gye sɛ wofa kaa/lɔre
Unless you pick a car/lorry

Di ahyɛnsodeɛ no akyi
Follow the signs

Toa so kɔ w'anim
Continue ahead

San w'akyi
Turn back

Bra
Come

Kɔ
Go

Bra w'anim
Come forward

Kɔ w'akyi
Go back

Hwɛ w'anim
Look forward

Hwɛ w'akyi
Look back

Hwɛ fam
Look down

Hwɛ soro
Look up

Pagya wo ti
Raise your head

Hwɛ wo nifa so
Look to your right

Hwɛ wo benkum so
Look to your left

Kɔ w'anim tee
Go straight ahead

Mane wo benkum so
Turn to your left

Mane wo nifa so
Turn to your right

Kɔ w'anim tee na mane wo benkum so
Go straight ahead and turn to your left

Kɔ w'akyi na mane wo nifa so
Go back and turn to your right

Fa twene no ase
Go under the bridge

Fa twene no so
Go over the bridge

Di m'akyi
Follow me

Bisa papa yi
Ask this man

Bisa maame yi
Ask this woman

AT THE HOSPITAL – ⊚ track 36

Mepε sε mehu dɔkota
I'd like to see the doctor

Me ho ayε hye
My temperature is high

Me nan ahono
My leg is swollen

Me nsa ahono
Me hand is swollen

Me ho keka me
Me ho yε me hene
My body itches

Me ti pae me
Me ti yε me ya
My head aches

Me yam yε me ya
My stomach aches

Me yam atim
I'm constipated

Kɔ wɔ paneɛ
Go for an injection

Kɔ gye aduro
Go for medicine

Me ba no bɔ wa
My child coughs

Mepa wo kyɛw, ma menhwɛ
Please, let me have a look

Wo he na ɛyɛ wo ya?
Where do you feel the pain?; Which part of your body pains you?

□ **Me ti**
My head

□ **Me yam**
My stomach

□ **Me nan**
My leg

Mepa wo kyɛw bue w'anom
Please open your mouth

Yɛbɛtwe wo mogya kakra
We will take your blood sample

Mehome a ɛnsi so
I have difficulty breathing

Mentumi nhome
I cannot breathe

HOW TO MAKE SUGGESTIONS – ⊕ track 37

M'adwene ne sɛ...
My thought is that...

Medwene sɛ...
I think that

Mesusu sɛ...
I suggest that...; I propose that...

Yɛnnwene ho bio
Let's think about it again

Yɛmma yɛn ho da baako mfa nnwene ho
Let's give ourselves a day to think about it

Yɛnhwehwɛ mu yie
Let's look more into it; Let's investigate it further

Woadwene ho nsunsuansoɔ no?

SINGULAR 'you'

Moadwene ho nsunsuansoɔ no?

PLURAL 'you'

Have you thought about its consequences?

□ **Mereyi me ho afiri mu**
I'm pulling away from it

□ **Ɛkaa me nko ara a**

PRON: ɛkaa me[nk]oaa

Left to me alone...

Adɛn na wonnyae?

SINGULAR 'you'

Adɛn na monnyae?

PLURAL 'you'

Why don't you stop?

HOW TO ASK ABOUT PROFESSIONS

– ⊙ track 38

Adwuma bɛn na woyɛ?
Woyɛ adwuma bɛn?

> **LIT:** you do work what/which? | you do what/which work?

What work do you do?

Ɛhe na woyɛ adwuma; ɛhefa na woyɛ adwuma?
Woyɛ adwuma wɔ he?

> **LIT:** you do work at where?

Where do you work?

Ɛdeɛn na woyɛ?
Woyɛ deɛn?

> **LIT:** you do what?

What do you do?

    ☐ **Mekyerɛ adeɛ**
     I teach

    ☐ **Meyɛ ɔkyerɛkyerɛni**
     I'm a teacher

    ☐ **Meyɛ nsɛntwerɛni**
     I'm a journalist

☐ **Mewɔ adwuma**
I'm employed; I have a job

☐ **Meyɛ adwuma**
I work

☐ **Menni adwuma**
I don't have a job; I'm unemployed

☐ **Menyɛ adwuma**
I don't work

☐ **Menyɛ adwuma seesei**
I don't work at the moment; I'm currently unemployed

☐ **Magyae adwuma**
I've resigned *(from my job)*

☐ **Meyɛ me ara m'adwuma**

> **PRON:** meyɛ **meaa** m'adwuma

I'm self-employed

☐ **Meyɛ adwuma ma obi**
☐ **Meyɛ obi adwuma**
I work for someone

☐ **Me ne obi na ɛyɛ adwuma**
I work with someone

☐ **Mewɔ ahomegyeɛ mu**
I'm on retirement

94

□ Merehwehwɛ adwuma
I'm searching for work; I'm in search of a job

Na wo nsoɛ?

LIT: and you also?

Na woɛ?

LIT: and you?

How about you?

□ Meyɛ ɔyere
I'm a wife

□ Meyɛ okunu
I'm a husband

HOW TO DESCRIBE ROMANTIC RELATIONSHIPS –
⊙ track 39

Mpena
Boyfriend; Girlfriend

Mewɔ mpena
I have a boyfriend; I have a girlfriend

Menni mpena
I don't have a boyfriend; I don't have a girlfriend

Maware
I'm married

Menwareeɛ
I'm not married

Yɛbɛware Ɔpɛpɔn bosome mu
We'll get married in the month of December

Magyae awareɛ
I'm divorced

Me kunu awu; Me kunu aka baabi
My husband has passed on

Me yere awu; Me yere aka baabi
My wife has passed on

Mepɛ adamfoɔ kɛkɛ
I only need a friend

Me werɛ mfii me mpena dadaa no
I haven't forgotten about my ex

Meyɛ (ɔbaa) kunafoɔ
I'm a widow

Meyɛ barima kunafoɔ
I'm a widower

Yɛatu me tiri so nsa
Wɔatu me tiri so nsa

> **LIT:** they have uncorked my head top drink | they've uncorked the bottle of drink on my head

I'm engaged

Mempɛ sɛ mɛware bio
I don't want to marry again

Mɛware bio
I'll marry again

Me ne no awɔ hɔ mfeɛ nkron

I've been with him/her for 9 years

Memfaa n'akyi da

I have never cheated on him/her

HOW TO TALK ABOUT LOVE AND ROMANCE

– ▶ track 40

Ɔdɔ NOUN
Dɔ VERB
Love

Medɔ wo
I love you

Medɔ no
I love him/her

Medɔ wo pa ara
I love you very much

Ɔdɔ a mewɔ ma wo no to ntwa da
My love for you will never end

Mɛdɔ wo kɔpem sɛ mɛwuo
Medɔ wo kɔsi sɛ mɛwuo
I'll love you till I die

Mɛdɔ wo kɔpem me wuda
Mɛdɔ wo kɔsi me wuda
I'll love you till my dying day

Ɔdɔ kann
True love

Woakyerɛ me ɔdɔ kann
You've shown me true love

M'ani gye wo ho
I like you

Mehia wo
I need you

Akoma
Heart

Akoma mu tɔfe

akoma = heart; **mu** = inside; **tɔfe** = candy

Akomam' tɔfe SF
Sweetheart

M'akomam' tɔfe
My sweetheart

M'akoma yɛ wo dea
My heart is yours

M'akoma yɛ ne dea
My heart is his/hers

Me dɔ wiase
The love of my life

Ɔyere
Wife

Okunu
Husband

Ware
Marry

Ayeforɔ
Wedding

Mɛware wo
I'll marry you

Wobɛware me?
Will you marry me?

☐ **Aane**
Yes

☐ **Dabi**
No

Nhwiren
Flowers

Medɔ wo nko ara

PRON: medɔ wo[nk]oaa

I love you only

Woabue biribi so akyerɛ me

You've opened something for my viewing

Mentumi nna

I can't sleep

Mɛwu ama wo

I'll die for you

Wobɛku me

You'll kill me

Wo ne m'anigyeɛ

You're my happiness

Wo ne me wiase
Me wiase nyinaa ne wo

LIT: my world all is you | my whole world is you

You're my world

Woma m'ani gye

You make me happy

Wo kuta m'akoma mu safoa
You hold the key to my heart

M'akoma bɔ ma wo
My heart beats for you

Mɛdɔ wo afebɔɔ
I'll love you forever/eternally

Wo nko ara na mepɛ
You're the only one I want

Fa kyɛ me
Forgive me

Mɛnte m'akoma

LIT: do not tear my heart

Don't break my heart

Nnaadaa me
Don't deceive me

Ɛnyi me mma
Don't betray me

Wodɔ me?
Do you love me?

103

Mɛgyegye wo so
I'll pamper you

Gyegye me so
Pamper me

Woama me ti ahono
Woama metiri mu yɛ me dɛ
You've made me swollen-headed

Sɛ manhyia wo a nka mɛyɛ dɛn?
If I hadn't met you what would I have done?

Me bibini

> **bibini** (African/black person) here is used to signify **beauty** related to dark skin

My African/black person

Me buroni

> **buroni** (Caucasian/white person) here is used to signify **beauty** related to light skin

My Caucasian/white person

Ahoɔfɛ
Beauty

Wo ho yɛ fɛ

> **PRON:** wo hoɔɔfɛ

You're beautiful

Wo ho yɛ me fɛ

You're beautiful to me

Me nipadua yɛ wo dea

My body is yours

Fa me yɛ nea wopɛ

Do with me as you please

Mfeano NOUN
Fe ano VERB

Kiss

Fe m'ano

Kiss me

Sɔ me mu

Hold me

Mma me nkɔ

Don't let me go

Nnyae me

Don't leave me

Daeɛ NOUN
Daeɛso GERUND (the act of dreaming)
So daeɛ VERB
Dream

Mɛma wo daeɛso abam'
I'll make your dreams come true

Gye me di
Believe me

Memfa w'akyi da
I'll never cheat on you

Woyɛ me wiase, me dɔ, ne m'adeɛ nyinaa
You're my world, my love, and my everything

Ɛkaa me nko a, na woyɛ me yere/kunu
Left to me alone, you'd be my wife/husband; I wish you were my wife/husband

Wo sereɛ bɛku me

> **LIT:** your laughter will kill me

Sɛ wosere a, na mawu

LIT: when you laugh, and I have died | when you laugh, then I die

Your laughter kills me

Nyame-ama

God-sent

HOW TO SEEK CLARIFICATION – ▶ track 41

Ka no bio
Ti mu bio
Say it again; Pardon

Mepa wo kyɛw ka deɛ wokaeɛ no bio
Please repeat what you said

Mepa wo kyɛw ka no bio
Mepa wo kyɛw ti mu bio
Please repeat

Mante
I didn't hear

Deɛn na worepɛ akyerɛ?
Wopɛ sɛ wokyerɛ sɛn?
What do you mean?

Ɛdeɛn pa ara na woreka no?
What at all are you saying; What exactly are you saying?

Kyerɛ mu; Kyerɛm
Kyerɛkyerɛ mu; Kyerɛkyerɛm
Explain

Na m'adwene nni ha. Mepa wo kyɛw ka no bio.

My mind wasn't here. Please repeat; I wasn't paying attention. Please repeat.

Emu nna hɔ

It's not clear

HOW TO ASK IF YOU ARE BEING UNDERSTOOD

– ▶ track 42

Wote aseɛ?
Do you understand?

Wote m'ase?
Do you understand me?

Wote n'ase?
Do you understand him/her?

Nyansa wɔ mu?
Does it make sense?

Wonim deɛ merepɛ akyerɛ?
Do you know what I mean?

Emu da hɔ?
Is it clear?

☐ **Aane, emu da hɔ**
Yes, it's clear

☐ **Dabi, emu nna hɔ**
No, it's not clear

Menkɔ so?
Should I go on?

Mentoa so?
Should I continue?

Sɛ wonte biribi ase a, bisa me
If you don't understand anything, ask me

HOW TO ASK FOR HELP – ⓘ track 43

Mehia mmoa
I need help

Boa me
Help me

Mehia mmoa kakraa bi
I need a little help

Wobɛtumi aboa me?
Can you help me?

Bra me mmoa
Bɛyɛ me mmoa
Come to my aid

Wobɛtumi akyɛ me simma kakraa bi?
Wobɛtumi adom me simma kakraa bi?
Could you spare me a couple of minutes?

Mayera
I'm lost

Wobɛtumi akyerɛ me kwan no?
Can you show me the way?

Wote ha baabi?
Do you live around?

Ɛwa?
Ɛkwan wa

> ɛkwan = way; **wa** = far

Is it far?

Accra (Nkran) bɛn ha?
Accra (Nkran) bɛn beaeɛ ha?
Is Accra close to this place?

Memfa hyɛn/kaa?
Should I pick a vehicle/car?

Mennante?
Should I walk?

Wobɛtumi akɔkyerɛ me hɔ
Can you go and show me the place?

HOW TO INTERRUPT IN A CONVERSATION

– ▶ track 44

Mentwa w'ano
I don't mean to interrupt

Fa kyɛ me...
Forgive me...

Mede bɛka ho sɛ...
I'll add that...; I'll add to it that...

Metumi ba mu?
Can I come in? *(into a discussion)*

Metumi ka biribi?
Can I say something?

Na yei nsoɛ?
How about this?

Ma me simma
Give me a minute

HOW TO ENCOURAGE SOMEONE – ▶ track 45

Kɔ so
Keep at it; Go on

Kɔ so ara kɔ so

> PRON: kɔ **soaa** kɔ so

Keep on keeping on

Kɔ so ara ne w'adwuma pa no
Kɔ so yɛ adwuma pa no
Keep up the good work

Woayɛ adeɛ
You've done well

Woayɛ adeɛ pa ara
You've done very well

Woayɛ w'afam deɛ
You've done your part

Wobɛtumi ayɛ!
You can do it!

Fa w'ahoɔden nyinaa gu so
Put in all your strength

115

Mɛmpa aba

Don't give up

Yɛ nea wobɛtumi biara

Do all you can

HOW TO COMPLAIN – ▶ track 46

Mempɛ saa
I don't like that

M'ani nnye ho
I'm not happy about it

Yɛnyɛ saa!
We don't do that!

Mɛnyɛ saa!
Don't do that!

Ɛdeɛn na woayɛ yi?
What have you done?

Ɛnyɛ koraa
it's not good at all

Deɛ woyɛeɛ no nyɛ koraa
What you did isn't good at all

Me bo afu!
I'm peeved!

Suban bɛn nono?
What behaviour is that?

Woadi me hwammɔ
You've disappointed me

O kyerɛ!
O please!

EXPRESSIONS FOR REMEMBERING, REMINDING AND FORGETTING – track 47

Kae
Remember

Mɛkae
I'll remember

Me werɛ afi
I have forgotten

Me werɛ mfi
I'll not forget

Me werɛ mfi da!
I'll never forget!

Mɛkae no pɛpɛɛpɛ
I'll remember it exactly

Sɛ mɛkae a...
If I can recall...

Menhyɛ da nkae
I don't really remember

M'adwene mu ayɛ hee
My mind is blank

Mepa wo kyɛw ɛyɛ a kae...
Please remember to...

Mepa wo kyɛw ɛyɛ a kae to pono no mu
Please remember to close the door

Mepa wo kyɛw kae sɛ...
Please be reminded that...

Mepɛ sɛ mekae wo sika
Mepɛ sɛ mebɔ wo nkaeɛ fa sika no ho
I like to remind you about the money

Wo werɛ mfiiɛ, anaa?
You haven't forgotten, or?

Wo werɛ mfii sɛ wobɛtua ne ka, anaa?
You haven't forgotten to pay him/her, or?

Adɛn na wo werɛ fiiɛ?
Why did you forget?

Me werɛ fii koraa, kosɛ
Me werɛ fii koraa, kafra
I completely forgot, sorry

Manhyε da
I didn't mean to; It wasn't intentional

Me werε mfi bio
I won't forget again.

HOW TO EXPRESS DIFFICULTY/EASINESS

– ⊚ track 48

Ɛyɛ den

> **PRON:** ɛɛden

It's difficult; It's hard

Ɛnyɛ den

It's not difficult

Ɛyɛ mmerɛ

> **PRON:** ɛɛmmerɛ

It's easy

Ɛyɛ koko

> **koko** is **porridge** in English. Used in place of **cake** in this context

It's a piece of cake

Obiara bɛtumi ayɛ

Anyone can do it

Ɛnyɛ den saa

It's not that difficult

Ɛnyɛ borɔdeɛ a aberewa dwoɔ

> **LIT:** it is not a plantain that an old woman peels

It's not a walk in the park

Ɛgye ahoɔden
It demands/pulls strength

Ɛyɛ brɛ adwuma
It's a tiring job

Ɛgye mmerɛ pii
It takes a lot of time

Ɛgye mmerɛ ne ahoɔden
It takes time and energy

HOW TO TALK ABOUT AGE – ⏵ track 49

Afe
Year

Mfeɛ
Years

Woadi mfeɛ sɛn?
How old are you?

Madi mfeɛ aduasa
I'm 30 years old

Wadi mfeɛ aduonu
He/she is 20 years old

Ɔwɔ ne mfeɛ aduonu mu
He/she is in his/her twenties

Kofi wɔ ne mfeɛ aduasa mu
Kofi is in his thirties

Mennyiniiɛ
I'm not old

Mensua
I'm not young

Mennyinii saa
I'm not that old

Mensua saa
I'm not that young

Ma wo nneyɛɛ ne wo mfeɛ nsɛ
Act your age

Ɔdii mfeɛ du ara ni
He just turned 10

Ama dii mfeɛ aduanan ara ni
Ama just turned 40

Mensua sɛdeɛ na meteɛ no
I'm not as young as I used to be

Wanyini apua
He/she is so old

Ɔtenaa asase so kyɛɛɛ; Ɔtenaa asase so mfeɛ pii
He/she lived for many years

Manyini kyɛn wo
Manyini sene wo
I'm older than you are

Woanyini kyɛn me
Woanyini sene me
You're older than I am

Mepɛ sɛ menyini kyɛ
I want to live long

Nyini kyɛ
Live long; Grow old

BUYING AND SELLING EXPRESSIONS

– ▶ track 50

Meretɔ...

PRON: meetɔ

I'm buying...

Wowɔ...?

Do you have...?

Wowɔ burogya?

Do you have matches?

Wotɔn...?

Do you sell...?

Wotɔn asikyire?

Do you sell sugar?

Merehwehwɛ...

PRON: meehwehwɛ

I'm looking for...

Merehwehwɛ samina

I'm looking for soap

127

Mɛtumi asɔ ahwɛ?
Metumi sɔ hwɛ?
Can I try it?

Te so
Reduce it *(price)*

Mepa wo kyɛw te boɔ no so
Please reduce the price

Mɛtɔ
I'll buy

Mɛfa!
I'll take it!

Mɛyɛ dɛn na matua?
How do I pay?

Mogye 'dɔlase'?
Do youPL take dollars?

Mepɛ sɛ mesesa yei
I want to change this

Merehwehwɛ mu kɛkɛ
I'm just looking through; I'm just browsing through

Mentumi ntua
I can't pay

Menni saa sika no
I don't have that amount

Mɛtumi atua ɔkyena?
Metumi tua ɔkyena?
Can I pay tomorrow?

Fa firi me
Fa fɛm me
Give it to me on credit; lend it to me

HOW TO TALK ABOUT FOOD/EATING

– ▶ track 51

Ɛkɔm de me
I'm hungry

Mamen
I'm full

Mamen aboro so
I'm stuffed; I ate too much

Yɛnkɔpɛ biribi nni
Let's go and get something to eat

Yɛnnidi abɔnten nnɛ
Let's eat out today

Mede aduane baeɛ
I came with food; I brought food

Brɛ me...
Bring me...

Brɛ me ɛmo
Bring me rice

Mɛdi...
I'll have; I'll eat...

Mɛdi aborɔdwomaa
I'll have potato; I'll eat potato

Adidibea
Restaurant; Eating plalce

Nkwan yi yɛ dɛ!

> **PRON:** nkwan yiɛɛdɛ

This soup is delicious!

Aduane yi yɛ dɛ!

> **PRON:** aduane yiɛɛdɛ

This food tastes good!

Mɛdi bio
I'll have another; I'll eat again

Ne nyinaa yɛ sɛn?
How much is it all? *(bill; price)*

Ɛbɛyɛ sɛn?
How much will it cost?

131

HOW TO TALK ABOUT MOVIES/TV – ▶ track 52

Sini yi yɛ fɛ

> PRON: sini yiɛɛfɛ

This <u>movie</u> is nice

Mahwɛ da

I've watched it before

Wɔayi da

They've shown it before

Mensesa no?

Should I change it?

Aboafoɔ nkratoɔ no dɔɔso

There are too many <u>commercials</u>

Ɛyɛ aniha

> PRON: ɛɛniha

It's boring

Ɛnyɛ fɛ

It's not nice

Yi firi hɔ

Change it *(the channel)*

Deɛn na wɔbɛyi no kyena?
What will they show tomorrow?

Yɛnkɔhwɛ sini
Let's go to the movies; Let's go and watch a movie

HOW TO TALK ABOUT PRICE; BARGAIN

– ⏺track 53

Ne bɔɔ yɛ den

> **PRON:** ne **bɔɔden**

It's expensive

Ne bɔɔ yɛ den pa ara

> **PRON:** ne **bɔɔden paa**

It's very expensive

Ne bɔɔ yɛ den dodo

> **PRON:** ne **bɔɔden** dodo

It's too expensive

Te so
Reduce it *(price)*

Mepa wo kyɛw te so
Please reduce it *(price)*

Mede me ho sika nyinaa na ɛtɔeɛ
I bought it with all the money I had

Mentumi ntua ho ka
I can't pay for it

Wɔabu me
They've duped me; I've been duped

Wabu me
You've duped me; You've swindled me

Ɛyɛ azaa
Ɛyɛ bukata
It's a scam

Ɛyɛ fo

PRON: ɛɛfo

It's cheap

Ɛboɔ no yɛ
It's affordable; The price is good

Mate so
I've reduced it

Mate boɔ no so
I've reduced the price

Yɛate so ɔha nkyɛmu aduasa
We've reduced it by 30%

Wonnya no saa baabiara

PRON: wonnya no saa **baabiaa**

You'll not get it so anywhere

Nniano

Bargain NOUN

Di ano

Bargain VERB

Yɛnni ano

Let's bargain

Woanni ano?

You didn't bargain?

Metɔɔ no fofoofo

I bought it so cheap

HOW TO TALK ABOUT THE WEATHER

– ▶ track 54

Ahuhuro wɔ mu _{LF}
Ahuhuro wom _{SF}
It's warm/hot; There's heat

Ahuhuro de me
I feel hot

Awia abɔ
It's sunny

Awia no ano yɛ den

> **PRON:** awia no **anoɔɔden**

The sun's really strong

Awɔ wɔ mu _{LF}
Awɔ wom _{SF}
It's cold

Awɔ de me
I feel cold

Hyɛ atadeɛ a emu yɛ duru

PRON: hyɛ atadeɛ a **emuɔɔdu**

Put on heavy clothes

Osuo retɔ

It's raining

Osuo repete

It's drizzling

Osuo retɔ gidigidi

It's raining heavily; It's pouring

Osubrane retɔ

A heavy rain is pouring; We're having a downpour

Asukɔkyea retɔ

Ice is falling; It's icing

Wohia kyiniiɛ

You need an umbrella

Osuo no ate

It's stopped raining

HOW TO EXPRESS TIREDNESS – ▶ track 55

Mabrɛ
I'm tired

Woabrɛ?
Are you tired?

Mayɛ mmerɛ
I'm weak

Memmrɛeɛ
I'm not tired

Merekɔda

PRON: meekɔda

I'm off to bed; I'm going to sleep

Mayɛ sɛ mmire

LIT: I have become like a mushroom

I'm spent; I'm beat; I'm exhausted

Ɛwɔ sɛ megye m'ahomee
I must rest; I have to rest

Ahomegyeɛ
Rest NOUN

Gye ahome
Rest VERB

Mentumi ntoa so, mabrɛ
I can't continue, I'm tired

HOW TO MAKE PROMISES/RESOLUTIONS

– ▶ track 56

Bɔhyɛ
Promise NOUN

Hyɛ bɔ
Promise VERB

Mehyɛ bɔ sɛ...
I promise to...; I promise that...

Mehyɛ bɔ sɛ mɛtɔ kawa/pɛtia ama wo
I promise to buy you a ring

Ɛwɔ sɛ mekɔ
I have to go; I must go; I should go

Meka ntam
I swear

Meka ntam sɛ menni wo hwammɔ da
I swear never to disappoint you

Ɛmfa ho ne deɛ ɛbɛsi biara, mennyae wo
It doesn't matter what will happen, I won't leave you; No matter what happens, I won't leave you

Osuo mu oo, owia mu oo, menyi wo mma
Rain or shine, I'll not betray you

Ogya mu mpo, me ne wo ara

> **PRON:** ogya mu mpo, me ne **woaa**

Even through fire, I'm with you

Mehyɛ bɔ sɛ mɛma w'ani agye daa nyinaa
I promise to make you happy always; I promise to make you happy every day

Mɛdɔ wo afebɔɔ
I'll love you forever/eternally

Mente w'akoma da!
I'll never break your heart!

Mɛsi dan afe yi
I'll build a house this year

HOW TO MAKE EXCUSES FOR BEING LATE

– ▶ track 57

Mamma ntεm
I didn't come early

Fa kyε me
Forgive me

Meda boroo so
I overslept

Mefaa baabi
I passed somewhere

Metwεn kyεeε
I waited for long

Εnyε saa bio
Don't do that again

Εmma no nsi bio
Don't let it repeat itself

Meyeraeε
I got lost

Na mewɔ <u>nhyiamu</u> bi ase
I was in a <u>meeting</u>

Na mennim sɛ berɛ aso
I didn't know it was time

Ɛyɛ. Ɔkyena bra ntɛm
It's OK. Tomorrow come early

HOW TO SAY SOMEONE IS RIGHT – ▶ track 58

Wodi bem
You're right

Ɛno ara nono

> PRON: **ɛnoaa** nono

That's it; That's just it

Pɛpɛɛpɛ
Exactly

Ɛno ara na woaka no

> PRON: **ɛnoaa** na woaka no

It's just what you've said; It's exactly what you've said

Ɛyɛ me saa
I suppose so

Ɛyɛ me sɛ
I suppose

HOW TO SAY SOMEONE IS WRONG

– ⏺ track 59

Ɛnte saa
Ɛnyɛ saa
It is not so

Ɛnte saa koraa
Ɛnyɛ saa koraa
It is not so at all

Woayɛ mfomsoɔ
You are mistaken; You've made a mistake

Woati
You are wrong

Dabi, ɛnte saa
Dabi, ɛnyɛ saa
No, it is not so

Nsɛmfoo
Nonsense; Bullshit *(rude)*

Yei yɛ nsɛmfoo
This is nonsense

Nokorɛ biara nni yei mu
There is no truth in this

Ne nyinaa yɛ atorɔ
They are all lies

HOW TO SAY SOMEONE IS SMART – ⊙ track 60

Ɔnim nyansa

> **LIT:** he/she knows sense

He/she is sensible

Yaa aben

> **LIT:** Yaa is well-cooked

Yaa is brilliant; Yaa is intelligent

Kofi nim de

Kofi is knowledgeable

Ɔyɛ nimdefoɔ

He/she is a knowledgeable person

Akosua nim adeɛ

Akosua is bright *(academically)*

Ɔda nso

He/she is unique

Ɔdwene ntɛm

He/she is thinks fast

HOW TO SAY SOMEONE IS STUPID – ▶ track 61

Ɔnnim nyansa
He/she is not sensible

Kwabena nnim nyansa koraa
Kwabena is not sensible at all

Ɔyɛ nyaa
He/she is slow

Abena yɛ nyaa
Abena is slow

Wagyimi
He/she is stupid; He/she is an idiot

Akwadaa no nim nyansa sene no
The child is more sensible than he/she is

Wagyimi dodo
Wagyimi pa ara
He/she is too stupid; He/she is really dumb

HOW TO AVOID ANSWERING/RESPONDING TO QUESTIONS/STATEMENTS – ▶ track 62

Menni hwee ka
I don't have anything to say; No comment

Menni hwee ka fa ho
I don't have anything to say about it

Yɛmmaa me ho kwan sɛ mɛka biribi afa ho
Menni ho kwan sɛ meka biribi fa ho
I'm not allowed to comment on it

Mentumi nka hwee mfa ho
I can't say anything about it

Akyire yi
Later

Yɛnni ho abooboo akyire yi
Let's deliberate on it later; Let's discuss it later

Yɛnka ho asɛm akyire yi
Yɛnni ho nkɔmmɔ akyire yi
Let's talk about it later

Ɛyɛ kokoa mu asɛm; ɛyɛ kokoam asɛm
It's confidential

Ɛyɛ yɛn ntam asɛm
It's between us

Mempɛ sɛ mɛka ho asɛm
Mɛpɛ sɛ menka ho asɛm
I'd rather not talk about it

Di wo fie asɛm

Resolve your home issue | concern yourself with issues relating to your household

Mind your own business

Adɛn na wopɛ sɛ wohunu?
Why do you want to know?

Maka akyerɛ wo dada
I've told you already

Menti mu bio

LIT: I won't repeat it

Menka bio

LIT: I won't say it again

Memmɔ so bio

LIT: I won't touch on it again

I'm not repeating

151

HOW TO TALK ABOUT SOMEONE BEING POOR/RICH –
⊙ track 63

Ohia
Poverty

Ahonya
Wealth

Ahia no
He/she is poor

Ɔwɔ sika
He/she has money

Ɔyɛ sikani
Ɔyɛ ɔdefoɔ
He/she is rich

Ahia Kwasi
Kwasi is broke; Kwasi is poor

Ɔnni sika
He/she doesn't have money

Adwoa ayera ne sika
Adwoa has lost her money

152

Adwoa sika ayera
Adwoa's money is missing

Wɔntua no ka kɛse
He/she doesn't get paid much

Kofi ahyɛ ada so
Kofi is loaded; Kofi is filthy rich

Ɔwɔ sika pii wɔ sika korabea hɔ
He/she has a lot of money at the bank

Ɔda sika mu
He/she is rolling in money/dough

Ɔyɛ odwadini mmapa
He/she is a prominent trader/businessman/businesswoman

Deɛ ɔbɛdie mpo yɛ den ma no
What to eat is even difficult for him to come by

HOW TO ASK SOMEONE TO WAIT – ▶ track 64

Ma me simma
Give me a minute

Wobɛtumi akyɛ me simma baako?
Could you spare me a minute?

Twɛn
Wait

Nya abotrɛ
Have patience; Be patient

Ma menhwɛ
Let me see

Ma mennwene ho
Let me think about it

Ɛwɔ sɛ wotwɛn
You have to wait; You must wait

Ma me mmerɛ kakra
Give me some time

HOW TO EXPRESS GUESSES – ⏺ track 65

Ɛnyɛ me nwanwa
I wouldn't be surprised

Ɛbɛyɛ sɛ...
It's about...

Ɛbɛyɛ sɛ anammɔn du
It's about 10 feet

Ɛyɛ me sɛ...
It appears to me...

Ɛbɛtumi ayɛ sɛ...
It can be that...

Wo ne m'adwene pɛ
Your guess is as good as mine

(Sɛ) mebɔ me tirim a...
Off the top of my head...

(Sɛ) mebɔ me tirim a, ɛbɛyɛ anammɔn du
Off the top of my head, it's about 10 feet

Na mekaa sɛ ɛyɛ num
I thought it was 5

Mɛtumi ne wo ato nkyea sɛ ɔnkɔ sukuu

I can bet you that he'll not go to school

EXPRESSIONS FOR DECISION-MAKING

– ▶ track 66

Yɛ w'adwene yie
Make up your mind

Mentumi nyɛ m'adwene yie
I can't make up my mind

Mɛdwene ho
I'll think about it

Meredwene ho mmienu mmienu

> LIT: I am thinking about it two two

I'm having second thoughts

Masesa m'adwene
I've changed my mind

Ɛwɔ wo nsam

> LIT: it is in your hands

It's up to you

Emu deɛ ɛwɔ he na memfa?
Deɛhe na memfa?
Which one should I take?

Nka/Sɛ meyɛ wo a, nka mɛfa ketewa no/kɛseɛ no
Me ne wo a, nka mɛfa ketewa/kɛseɛ no
If I were you, I'd pick the small one

Wontumi nyɛ w'adwene yie?
Can't you make up your mind?

Ɛyɛ den

PRON: ɛɛden

It's difficult

EXPRESSIONS FOR GOOD/BAD LUCK

– ▶ track 67

Wo tiri nkwa
Lucky you

Mema wo tiri nkwa
Good luck

Wo tiri yɛ
You're lucky

Me tiri nyɛ
I'm unlucky

Ebinom tiri yɛ pa ara
Some are very lucky

Ebinom tiri nyɛ koraa
Some are very unlucky

Ɛmma w'abam mmu
Don't give up

Saa ara na abrabɔ teɛ
That's just how life is

Saa ara na wiase teɛ
That's just how the world is

Ɛnyɛ daa na nneɛma bɛkɔ sɛdeɛ wopɛ
Ɛnyɛ daa na nneɛma bɛkɔ tɔɔtee
Things will not always go your way; Things will not always go as you'd want

Ɛbɛyɛ yie
It shall be well

Barima hwe ase a, na ɛnyɛ n'awieeɛ ara nono
Barima hwe ase a, na abrabɔ mmaa awieeɛ
The fall of a man isn't the end of his life

HOW TO EXPRESS WORRY AND RELIEF

– ⏺ track 68

Mesuro
I'm scared

Mesuro sɛ...
I'm scared that...

Mesuro sɛ menyem
I'm scared (that) I may be pregnant

Madwene ho saa
I've been thinking about it for long

Merenya kɔdaanna

WORD BREAKDOWN
kɔ-da-a-nna
go-sleep-and-(you) don't-sleep
you go to bed but can't sleep

I'm having sleepless nights

Me ho tɔ a atɔ me
What a relief!

Meda Awurade ase!
Thank God!

Womaa meyɛɛ basaa
You had me worried

Woayi adesoa kɛseɛ afiri me so
You've lifted a huge load off my head

Ɛha me pa ara
It worries me a lot

M'akoma atɔ me yam seesei
I'm calm now

Afei m'akoma atɔ me yam
Now I'm calm

Ɛkaa kakraa bi; Ɛkaa ketekete
That was close

HOW TO TALK ABOUT THE FUTURE – ⊙ track 69

Daakye
Future

Ɛbɛsi nnansa yi ara
It'll happen very soon

Aka nna kakraa bi na <u>Buronya</u> aduru
It's left with a couple of days to <u>Christmas</u>

Ɛbɛsi wɔ yɛn <u>nkwanna</u> mu
It will happen in our <u>lifetime</u>

Ɛnsi wɔ yɛn nkwanna mu
It won't happen in our lifetime

Ɛkyerɛ deɛ ɛreba abɛsie
It shows what's about to happen

Ɛnyɛ dɛn ara a, ɛbɛsi
Whatever the case, it will happen

Mɛyɛ no seesei ara
I'll do it immediately

Ɛmmerɛ bɛkyerɛ
Time will tell

HOW TO GIVE COMPLIMENTS – ⏵ track 70

Wo ho yε fε

> PRON: wo hɔɔfɛ

You're beautiful; You're handsome

Wo ho yε fε pa ara

> PRON: wo hɔɔfɛ paa

You're very beautiful; You're very handsome

Wowa pa ara

> PRON: wowa paa

Wowa oo!

You're very tall

W'atadeε no yε fε

> PRON: w'atadeε nɔɔfɛ

Your shirt is nice

Wo ho twa!

You look smart!

Wonim aduane noa pa ara

> PRON: wonim aduane noa paa

You really know how to cook

W'aduane yɛ dɛ!

PRON: w'aduaneɛɛdɛ

Your food tastes good!

Mepɛ w'ahosiesie
M'ani gye w'ahosiesie

I like your dressing

Kɔn mu adeɛ na ɛyɛ fɛ sei!

What a beautiful <u>necklace</u>!

Asom adeɛ na ɛyɛ fɛ sei!

What a beautiful <u>earring</u>!

Woyɛ nipa pa

You're a good person

Wo mma no ho yɛ anika

PRON: wo mma no hoɔɔnika

Your kids are interesting; Your kids are fun

Ɔda nso

He/she is unique

HOW TO EXPRESS CERTAINTY AND PROBABILITY – ▶ track 71

Megye di
I believe so

Ɛyɛ me saa
I think so

Ɛyɛ me sɛ...
I suppose...; I guess...

Mennye nni
I doubt it; I don't believe it

Ebia
Maybe

Ebia na ɛnte saa
It may not be so

Sɛ ɛte saa a ɛbɛyɛ me nwanwa
If it's so I'd be surprised; I'd be surprised if it is so

Sɛ ɔba a ɛbɛyɛ me nwanwa
If he/she shows up/comes I'd be surprised; I'd be surprised if he/she shows up.

Ɛnsi da

It will never happen

HOW TO SHOW INTEREST AND DISINTEREST

– ▶ track 72

Ɛyɛ anika

> **PRON:** ɛɛnika

It's interesting

Ɛyɛ aniha

> **PRON:** ɛɛniha

It's boring

Aberanteɛ no ho yɛ anika

The guy is interesting

Ababaawa no ho yɛ anika

The lady is interesting

Me kunu ho yɛ abufu

> **PRON:** me kunu hoɔɔbufu

My husband is annoying

Ɛnyɛ hwee mma me

It does nothing for me

M'ani aha

I'm bored

LEARNAKAN

M'ani aha papa
I'm so bored

Saa?
Really?

Ɛyɛ nwanwa

| PRON: ɛɛnwanwa |

That's surprising

Mempɛ sɛ mɛte ho asɛm
I don't want to hear about it

Ɛho nhia
It's not important

Mentie
I won't listen

Nti deɛn?
So what?

169

HOW TO CHEER SOMEONE UP – ▶ track 73

Ɛdeɛn na ɛreha wo?
What's worrying you?

Asɛm bɛn?
What's the matter?

Adɛn na wo werɛ aho?
Why are you sad?

Adɛn na woresu?
Why are you crying?

Te w'anim!
Brighten up!

Ma w'ani nnye
Be happy; Cheer up

Ɛnkaa akyi
It's not too late

Ɛbɛyɛ yie
It shall be well

Ɛnyɛ wiase awieeɛ nono
Wiase mmaa awieeɛ
It's not the end of the world

Biribiara bɛyɛ yie
Everything will be OK

Ɛmpa aba
Don't give up

Biribi wɔ hɔ a mɛtumi ayɛ de aboa?
Is there anything I can do to help?

Wohia mmoa?
Do you need help?

Mɛyɛ deɛ mɛtumi biara de aboa
I'll do all I can to help

Wo ho yɛ?
Are you alright?

Fa wo gyedie to Awurade so
Put your trust in God

HOW TO EXPRESS DISBELIEF – ▶ track 74

Mennye wo nni
I don't believe you

Woredi agorɔ!

> PRON: **woodi** agorɔ

You're kidding!

Woredi me ho fɛw

> PRON: **woodi** me ho fɛw

You are making fun of me; You are pulling my legs

Worehanehane w'ani

> PRON: **woohanehane** w'ani

You are exaggerating

Ɔretwe nokorɛ no mu
He/she is stretching the truth

Ɔretwa atorɔ
He/she is lying

N'asɛm no yɛ naa
N'asɛm no mu yɛ werɛm

PRON: n'asɛm no **muɔɔwerɛm**

His/her story is fishy

Ɛyɛ ntorɔ
It's a lie

Ɛnyɛ nokorɛ no nyinaa na ɔreka no
He/she is not telling the whole truth

Ɛyɛ nokorɛ
It's true

Ɔreka nokorɛ (no)
He/she is telling the truth

Ɛyɛ nokorɛ turodoo
It's the complete truth

Waka ne nyinaa
Ne nyinaa na waka no
He/she has said it all

Menni agorɔ
I'm not joking

EXPRESSIONS FOR PEOPLE WITH BAD BEHAVIOUR –
▶ track 75

N'adwene nyɛ
He/she is psycho

Ɔyɛ torofoɔ
Ɔyɛ kohwini
He/she is a liar

Ɔyɛ foo
He's a jerk

Ɔyɛ tuutuuni
Ɔyɛ ahyawoni
She's a slut; She's a whore

Ɔyare *(insult)*
He/she is a sicko

Ɔnyɛ papa
Ɔnni suban
He/she is not correct

Ɔyɛ dwamanfoɔ
He/she is promiscuous

Ɔyɛ monaatoni
He's a rapist

Ɔyɛ mansotweni
He/she is argumentative

Ɔyɛ nimguaseni
He/she is shameful

HOW TO DESCRIBE HOW A SPEECH IS MADE

— ⏵ track 76

Kofi teaa mu
Kofi team
Kofi shouted; Kofi yelled; Kofi screamed

Yaa kasaa brɛoo
Yaa kasaa bɔkɔɔ
Yaa spoke calmly

Kwane

> often pronounced **kwan**

Nag

Ɔkwane
He/she nags

Kwabena po dodoɔ
Kwabena horo so
Kwabena stammers

Mekasa kyerɛɛ no
I talked to him/her; I spoke to him/her

Me ne no kasaeɛ
I talked with him

Yɛdii nkɔmmɔ

We conversed

HOW TO DESCRIBE FACIAL EXPRESSIONS

– ▶ track 77

Nweenwee
Smile

Ɔnweenweeɛ
He/she smiled

Muna
Frown

Maamuna munaa n'anim
Maimuna frowned her face

Bɔ ani
Wink VERB

Ɔbɔɔ n'ani kyerɛɛ me
He/she winked at me

Ɔhwɛɛ me hann
She stared at me; She glared at me

Wayɛ n'anim bosaa
He/she has put on a long face

Wayɛ n'anim mmɔbɔmmɔbɔ
He/she has put on a sad face

Sere
Laugh VERB

Ɔseree Ama
He/she laughed at Ama

Adɛn na w'anim ayɛ bosaa?
Why the long face?

EXPRESSIONS USED AT THE BAR – ▶ track 78

Mɛtua ka

> **LIT:** I will pay (the debt)

Mɛtɔ

> **LIT:** I will buy

It's on me; I'll pay

Waboro

> often pronounced **wabo**

He/she is drunk

Maboro

> often pronounced **mabo**

I am drunk

Memmoroeɛ

> often pronounced **memmoeɛ**

I am not drunk

Waboro kakra

> often pronounced **wabo kakra**

He/she is a bit tipsy

Waboro sei pram!
He is completely wasted!

Mɛnom bio
I'll drink again; I'll have another

Fa pii bra
Bring more

Manom dodo
I've had too much *(to drink)*

Mennomm pii saa
I haven't drunk that much

M'ani da hɔ
I'm sober

HOW TO MAKE COMPARISONS – ◉ track 79

Ɛyɛ den sɛ boɔ

> **PRON:** ɛɛden sɛ boɔ

It's as solid as a rock; It's as hard as a rock

Emu yɛ ha sɛ takra

> **PRON: emuɔha** sɛ takra

It's as light as a feather

Awo sɛ dompe

It's as dry as a bone

Ne ho yɛ ha sɛ ayerɛmo

> **PRON:** ne **hoɔha** sɛ ayerɛmo

She's as quick as a lightning

Kofi ne Ama da nso sɛ anadwo ne awiaberɛ

Kofi and Ama are as different as night and day

Wanyini sɛ mmepɔ no

He/she is as old as the hills

HOW TO DOWNLOAD THE MP3 AUDIO FILES

Please visit https://gumroad.com/l/LCTG3/plpcxl9 to download this book's accompanying MP3 audio files for free. Follow these simple instructions to download:

1. Go to https://gumroad.com/l/LCTG3/plpcxl9
2. Click on the '**Buy this**' button
3. Enter your email address, and click the '**Get**' button
4. You will receive an email with a download link immediately. Please check your spam/junk folder if you don't receive the email notification in 2 minutes.

*If you require extra support in the download process, email me: learnakan@gmail.com or mytwidictionary@gmail.com.

Thank you for purchasing this book

For more, please visit our website:

www.learnakan.com

Our online Twi dictionary:

www.mytwidictionary.com

Our Facebook page:

www.facebook.com/learnakan

Our YouTube channel:

LearnAkan.Com